Apreciados amigos y familiares de los nuevos lectores:

Bienvenidos a la serie Lector de Scholastic. Nos hemos basado en los más de noventa años de experiencia que tenemos trabajando con maestros, padres de familia y niños para crear este programa, que está diseñado para que se corresponda con los intereses y las destrezas de su hijo o hija. Cada libro de la serie Lector de Scholastic está diseñado para apoyar el esfuerzo que su hijo o hija hace para aprender a leer.

S0-AFN-235

- Lector Primerizo
- Preescolar a Kindergarten
- El alfabeto
- Primeras palabras

- Lector Principiante
- Preescolar a 1
- Palabras conocidas
- Palabras para pronunciar
- Oraciones sencillas

- Lector en Desarrollo
- Grados 1 a 2
- Vocabulario nuevo
- Oraciones más largas

- Lector Adelantado
- Grados 1 a 3
- Lectura de entretención y aprendizaje

Si visita www.scholastic.com, encontrará ideas sobre cómo compartir libros con su pequeño. ¡Espero que disfrute ayudando a su hijo o hija a aprender a leer y a amar la lectura!

¡Feliz lectura!

—Francie Alexander
Directora Académica
Scholastic Inc.

NIVEL PRE 1 LECTOR

A Gus se le cae un diente

Frank Remkiewicz

SCHOLASTIC INC.

A Paul Jaworski y a todos los
artesanos de sonrisas del
treinta y nueve noventa

This book was originally published in English as *Gus Loses a Tooth*

Translated by Eida de la Vega

No part of this publication may be reproduced, stored in a retrieval system, or transmitted in any form or by any means, electronic, mechanical, photocopying, recording, or otherwise, without written permission of the publisher. For information regarding permission, write to Scholastic Inc., Attention: Permissions Department, 557 Broadway, New York, NY 10012.

Copyright © 2013 by Frank Remkiewicz
Translation copyright © 2015 by Scholastic Inc.

All rights reserved. Published by Scholastic Inc.
SCHOLASTIC, SCHOLASTIC EN ESPAÑOL, and associated logos are trademarks and/or registered trademarks of Scholastic Inc.
ISBN 978-0-545-79759-7

12 11 10 9 8 7 6 5 4 3 2 1   15 16 17 18 19/0

Printed in the U.S.A.   40
First Spanish printing, January 2015

Este diente está flojo.

—¡Miren!

Gus se lo muestra a sus amigos.

Todos quieren uno.

Gus tiene que ir al dentista.

—Este diente está *muy* flojo.

—Va a caerse pronto.

Y al día siguiente…

¡se cayó!

—¡Mira, mamá!

—¡Mira, papá!

—¡Mira, Doradito!

Gus tiene un plan.

Es hora de acostarse.

—¿Qué fue eso?

—Seguro fue el Ratoncito Pérez.

¡Gus es rico!

—Gracias, Ratoncito Pérez.

Gus tiene un nuevo plan.

—¡Sonríe, Gus!